U0064457

劉福春・李怡 主編

民國文學珍稀文獻集成

第二輯

新詩舊集影印叢編　第70冊

【臧亦蘧卷】

碎鞋詩集

1932年12月初版

臧亦蘧　著

花木蘭文化事業有限公司

國家圖書館出版品預行編目資料

碎鞋詩集／臧亦蘧　著 — 初版 — 新北市：花木蘭文化事業有限公司，
2017〔民 106〕
184 面；19×26 公分
（民國文學珍稀文獻集成・第二輯・新詩舊集影印叢編　第 70 冊）
ISBN 978-986-485-151-5（套書精裝）
831.8　　106013764

民國文學珍稀文獻集成・第二輯・新詩舊集影印叢編（51-85 冊）
第 70 冊

碎鞋詩集

著　者　臧亦蘧
主　編　劉福春、李怡
企　劃　首都師範大學中國詩歌研究中心
北京師範大學民國歷史文化與文學研究中心
（臺灣）政治大學民國歷史文化與文學研究中心
總 編 輯　杜潔祥
副總編輯　楊嘉樂
編　輯　許郁翎、王筑　美術編輯　陳逸婷
出　版　花木蘭文化事業有限公司
社　長　高小娟
聯絡地址　235 新北市中和區中安街七二號十三樓
電話：02-2923-1455／傳眞：02-2923-1452
網　址　http://www.huamulan.tw　信箱　hml 810518@gmail.com
印　刷　普羅文化出版廣告事業
初　版　2017 年 9 月
定　價　第二輯 51-85 冊（精裝）新台幣 88,000 元

碎鞋詩集

臧亦蘧 著

一九三二年十二月初版。原書三十二開。

鞋詩集

碎鞋目錄

碎鞋目錄

碎鞋目錄

碎鞋目錄

[illegible]鞋目錄

補入集目錄

草鞋目錄

碎鞋目錄

八

破鞋目錄

碎鞋目錄

我們要作工

我們要作工！
我們要作工！
雖然忙半天，
不夠乞人一飽；
但是，
這是榮行！
這是偉大的榮行！

忙半天，
忙出了我的汗滴，
喘吁着，
足又奔騰。
吃飽的人作苦工，

碎鞋

供給不吃飽的同類來受用！
我們槍決虛名，
我們槍決不忠誠，
老老實實的作
還管人家說什麼中用，中用！
勤勤懇懇的作，
燒出一個熱餅來！
再燒一個熱餅！
勤勤懇懇的作，
蓋出房子來，
設上窗櫳，

從此——
即便死去；
從此——
即便葬身泥中永不回醒：

譜

靜謐的夜裡，
我的想像正在飛動，
來了吹簫的樂人，
我的想像便譜入了他的簫聲！

口慢慢的吹，
音慢慢的流動，
說不上遇到過路的旅客，
說不上遇到少婦的泣零。

我好將他們溫潤過來，
我好將他們甜蜜過來，
好好的——
好好的生，

我是一杯甜酒，
要使他們酩酊！
我是一滴甘露，
要令他們心清！
最後我死了，
我也是含笑長瞑………

因為我，
已感到了世上的缺陷；
因為我，

已感到了廹急的苦痛。
我這樣的死去，
算是——算是一生？

因爲我，
血淚染不動人心；
因爲我，
赤心換不出至誠。
吹簫的人呀！
我要借借你的推重。

人生

人生無處不是尋死，
只要你能以做去！
女子生殖器，
鴉片，
妓館，
節義。

十七，七月。

一切

愛人！
這是你的吻，
這是你的青髮，
這是你的嫩乳，
你正睡穩了，
我正半朦朧。

一七，十三。

我的孩子

我的孩子，
將來你或者是總理，

或者是華茨士，
或者是牛頓，
都任憑——……
都任憑將來一步一步的你。

你不生，
你已經生了；
你已經生下來，
呱呱呱呱
在地
我只說你是我的孩子，
我只知你是我的孩子。
幼小的小人兒，
不會坐起！

—七，十四。

糴　糧

今天爲糴糧問題，
犯了很大的爭執，
糴多了沒有錢，
糴少了不夠吃的：
父親母親都決解不了；
闔家人都沒了主意。

—八，十五，

送　客

送客，
送客，
客出柴門。
樹影，
影下的伊人，

幾時一回瞬！
幾時一回瞬！

涼風拂着，
正近夕陽時分，
悄悄的街筒內，
小貓兒來看人，
小貓兒來看人：

當心，當心，
樹影蔭着柴門。

一八，十五。

消失的時光

朋友，
家庭，
碎　鞋
我所愛的花，
我所愛的妓女，
飄飄，
仙去。

剩下了我，
剩下了我的思想，
夢中坐起，
行路痴迷！

霜——
霜中的瘦雞。

一枝筆

一枝筆，
有多重，

碎　　鞋

隨隨便便的把我犧牲了，
把我送進獄裏去。

小　詩

長日的生涯，
短短的時光，
無力的我，
又那能顧及你們的恭敬與侮辱！

我承祖宗之餘陰

我承祖宗之餘陰，
傳襲了幾畝薄地；
到頭回家來，
不工作得到了飯吃，
不工作穿上了棉衣！

每歲餓死人多少，
苦工死去無葬地，
我沒想到，
我也沒有心思。

我——
我也沒有心思！

充斷腸了

某人的兒子，
吃飯說是充斷了腸；
某人說太不自量，
兒子說多喝了兩盌粥湯！

她兩天沒有舉火，

隻手正扶着短牆，
一面走着，
她聽不清楚，是什麼了腸！

她從這廂走到那廂，
她回到了她的半坑，
我們各自睡了，
我也不知道她的下塲。

烈士蓋起屋來

烈士蓋起屋來，
庸人住，
一間一間的，
列在通衢，

月夜

碎 鞋

這樣的月夜，
這樣永久不敗的月夜，
花影影在牆上，
人影影在地上，

一個小門口

一個小門口，
我慢慢的回首，
好奇怪的——
老是不抬頭！

我知道：
你是在想花；
但此時已晚了，
我已經三十又六！

碎　鞋

親愛的，
我自已滿心要變！
只是宇宙推着我走，
宇宙推着我走，

親愛的，
你先坐在門後！
你先坐在門後！

伊

嬝嬝婷婷，
嬝嬝婷婷，
也不甜熟，
也不昧生，
這樣的靜境：
這樣這樣這樣的靜境！

渺小

我沒想到作偉人，
我沒想到作大家，
只想我的生活充實，
我死，
我悲歌。

我立在偉大的像前，
我見到了偉大的仁者，
我眞覺得渺小極了！
宇宙竟有樣這的小生物啊！
「小生物飄流記」，

我的一生竟這樣的寫着。

娼妓

詩人，
是宇宙的傻子，
他將人生看作游戲，
他將人生看作游戲。

詩人，
是宇宙的娼妓，
娼妓只知迷惑情人，
他卻專門吻合宇宙！

天國地王，
我在世上未見有此，

哭的勝利

我昨天大哭，
哭成功的，
哭失敗的，
哭罪人，
哭風露。

我昨天大哭，
宇宙之王前來引渡，
我尋了到了他的故居，
我尋到了他的故居！

大理石的門，
自由之神的窗戶，
月影作了陰台，

花露襯着明珠。

百葉窗前，
像是一株珊瑚；
你是什麼名字，
宇宙之王曾來頻數？

小鳥奏着曲，
此中儘歡娛；
嬝嬝婷婷的，
嬝嬝婷婷的去；

我喝了一杯甜酒，
酒中有我的淚珠；
宇宙之王爲我斟着，

我儘着的又哭。
從此——
哭便成了我一生的事業，
從此——
我抱吻着情人飛上天去！

樹蔭之下

中年婦女，
坐在樹蔭，
是夕陽時分，
靜悄悄的夕陽時分。
手裏拿着針，
針上有線，

一針一引，
一針一引！

一粗瘦的男子，
靜悄悄的來臨，
無言的自類，
含笑的容忍！

是六月天氣——
天上尙垂着陰雲。

泯沒

泯沒了個性，
泯沒了自己，
泯沒了性命，泯沒泯沒泯沒了性命，

祥 鞋

爲黨犧牲，
爲黨生存，
爲黨剷除了私情，
爲黨剷除了柔情，
掙扎！
掙扎！
奮爭！
奮爭！

飯

飯是吃飽了，
衣裳呢？
觳觫！

觳觫！

無名的尸骸

碎　鞋

無名的尸骸，
躺在曠野，
不必問他是怎樣死的罷，
生前也沒留姓名；
不必問他是怎樣死的罷，
被人坑傷，自投陷阱生前沒有豐隆，
死後也不保全形！
貧困的詩人，
將你收入了卷中。
貧困的詩人，
將你壓入了卷中。

十月二十五日

就近

就近吧：
有刀子在桌上，
有毒藥在枕底，
有——
有詩稿在身旁。

下雪記

天未明時，
下了一塲大雪，
贊廷夫人同贊廷說：
一石又有詩料了！

我從床上起來，
到門外望了一望，
回來伸下紙，
取出筆來，
想……想……

我的女老伴

你來走親戚，
你站在門口兒，
我來訪朋友，
我站在這一隔壁。
你的親戚忙得壞了，
我的朋友正預備我的飲食；
你無事搔搔首，
我無事走走平地。

碎 鞋

你拿着坐凳竟自去了，
我回轉身來不見了你。

這一隻手

這一隻手
這一隻玉手，
隔着門兒看見了，
隔着門兒兀自驚異！
你曾經旋轉過日月，
你曾經手扶過花枝，
你曾經——
你曾經撼斷過人家之想思！

是怎麼這樣的清癯，
怎麼這樣的奇異，

是怎麼這樣才瘦了，
是怎麼這樣才美麗，
呼！
呼！

靜止

天眞的她已睡寧了，
燈光暗淡的照着，
四圍是雨聲，
在沉寂的夜裏：
我細細的呼吸，
我嫩嫩的呼吸。

二者之間

她喝了一輩子的驢，
最後她才死去；
驢依然拉着磨走，
走到沒有盡頭！

作客

喝一杯水，
看看主人的面；
吃一頓飯，
聽聽主人的氣。
晚上睡覺的時節，
主人擁着他的愛人入了羅幃！
主人擁着他的愛人入了羅幃！
我鋪下一條被單，
來到房的隔壁去睡，

躺下了以後，
僥倖我有處安身！
僥倖我有處安身！

失業回到家中

失業回到家中，
求父親安慰我，
父親剛餓了一天，
自已尚不能存活。
一石，
你！
你！
你的精神快快寄托！

童養媳

碎　鞋

一手挽着童養媳，
一手挽着親生子，
走，走，
走過山溝又平地。
童養媳早已病了，
她已不能再走了，
她跌坐在道路的一旁，
上下的喘息！
快走—
懶東西！
拳打上，
又足踢，
哭哭啼啼，

哭哭啼啼，
親生子怪極！
親生子怪極！

一哭一啼的直到了家，
她已忘痛睡在隔壁。
半夜中——
親生子中了睡魔躍起！

久久的伴侶

你是那裏人家，
你是什麼姓氏，
報紙上看見你的像片，
引起了我的注意。

我像是在那裏見過你？
甚麼書上，安琪兒是？
我也見過白雲的游泳，
我也見過花露迎風泣。

我曾見過詩人對月發痴，
我曾見過海島上獨步女子，
我曾見過名花顫慄，
我曾見過明月湲出雲裏！

我曾對天空的明星暗泣，
我曾同深夜的晨鷄並啼，
我願意見到我見過的全總，
我願意尋求我見過的根底。

今次，
有意無意的，
見到了，
見到了你。

你具有女性自然的美，
你具有瘋狂一切人的威力，
不但是實行見了的，
就算聽見，也就心喜！

今次，
我將你懸在我的靜室，
我聽見你說話了，
相思！相思！

今次，
我貢獻上我縷縷的寸心，
我見你微微的笑着，
像是慈母安慰她的愛子。

無事的時候，
我跑到靜室坐對你；
有事時候，
我跑出去，再跑回來！

每當花晨月夕，
每當令節佳期，
我久久的對着你，
我久久的！

碎鞋

從此——！
兆億！
兆億！
從此——
兆億！
兆億！

我

粗黑的面孔，
破碎的衣服，
走起路來很沉重的，
我便這樣：
走，
走，
走入了大千世界！

見到了昔年的老妓

見到了昔年的老妓，
使我熱淚盈湧，
她的髮已黃了，
面已改了，
態度猶昔，
走起路來變了樣了，
她是老了——
哥哥妹妹的名子忘掉了！

夢繞

個人自由無價寶，
豈能隨便犧牲了，

些微的報酬，
儘日的工作，
蜷伏在家裏，
那個小孩在那家門口？
那個女子見人就會藏羞？
郊外的楊柳——
緣門乞食的丐醜：
夢繞——
夢繞冷的案頭。

朦朧

睡朦朧，
睡朦朧，
青髮，
碎　　鞋

儀容，
笑，
笑，
恭敬！
恭敬！

梟首

梟首！
梟首！
為的甚？
為他們沒有飯吃，
為他們衣服不能遮羞？
為的他們是受壓迫的，
為的他們是受壓迫永不回頭！

碎 鞋

今年，
歉收，
他們看着地上的禾苗，
一步一步的枯萎消瘦；
兵荒又有！
兵荒又有！

因爲他們是人，
因爲他們尙須伸手，
所以——
聚起幾個窮鬼來，
掙一點糧食過秋！

這次，
被人斫了頭，
到了城首！

神秘

我昔日戀愛了一位處女，
二人已達到了白熱程度；
及至月靜人去後，
我不同她接吻，
我不同她絮語，
我只撫摩她的衣裙；
我只撫摩她的衣裙！

現在，
他已歸於黃土！
一杯小墳，

我戀愛的人已靜臥其中了。
而我戀愛的人，
我沒曾同她絮語！

搬子約沒來

搬子約沒來，
被純齋留下了，
我走到村外望了幾望，
坐在路中口敲土。
心裏，
像是失了東西，
清風吹來，
白日和煦。

我看着我上次出迎的足印，
我望着鄰村的有人來路，
樹葉漸漸的看不見了，
足印漸漸的糢糊。
白雲！
你眞這樣淡漠無侶，

無產階級

無產階級，
好一個無產階級，
以前尚有髮，
以前尚有辮子，
現在——
革命開始，

碎　鞋

赤裸裸的一個禿頭，
上身的衣蓋不過下身的衣。

回家

回家，
看到她喂蠶；
回家，
到了田園的裏邊。
晚上悄悄地睡了，
有小雞咻咻相偕入夢間！

鮮花

折來兩枝花子，
浸在了破碗。
她工作累了，
晚上早早安眠；

我想着看看—
找火具找了半晚！

惡制度下的小羊

她病勢垂危，
她病勢垂危，
婆母面前作媳婦，
妯娌面前爭人。
她病勢垂危，
她病勢垂危，
她依然工作，
她病了身子不敢病心。
她的腰也彎了，

她的臀骨突出，
她的丈夫雖不罵她，
可是他不相關心。

終於，
她自已也忘了她的痛苦。
終于，
她沒死竟成了廢身！

農夫最能吃苦

農夫最能吃苦，
農夫最能吃苦，
足上長瘡，
背上販運！

若是總司令，
或者總參軍，
報上報得詳盡，
閱者說得詳盡，

實體上一樣的人，
衆人心目中換了方寸。
農夫！
上帝的兒子不分畦畛。

八月十五夜

八月十五夜，
到了一個小店裏，
躺下，
叫了兩壺酒，

自酌自飲着，
雞叫了，
天近曉。

小河

一道小河，
有少女曾死在此，
少女死得寃，
小河流得苦。

濺濺的浪，
粒粒的珠，
白沫，
吻的剩餘！

琮琮，
聽聽，
嬌喘，
葬在其中！

深處，
成了急喘；
紅顏，
夕陽照眼！

河水，
情天，
情人不歸，
河水不回。

年年！
年年！

臧一石

哦哦臧一石，
不比黃葉重，
走到人面前，
走到人面後，
走到人面左，
走到人面右。

殘稿

殘稿，
親愛的殘稿，
我受盡了種種侮辱，
我受盡了些意外的排擠，
今天我終於被逐出了，
身前身後，
作我的伴侶的，
還就是你！

我走到路上，
你提在我的手裏，
一步一步的走去，
一步一步的陪侍。

親愛的殘稿！
我沒有朋友，
除掉了你！
我幾經患難，

唯剩了你！

碎　鞋

親愛的殘稿，
宇宙在我原是小的。

逢亂

我逢亂跑出去，
走了些荒村與廢谷，
到了一間小廟裡，
向神像鞠了躬。
崇拜偶像麼？
崇拜泥土麼？
獨行了三五天，
忽然見到個像似人形的東西！

我的老朋友

我的老朋友，
是一個農夫，
他好說笑話，
終日無倦容！
說着說着他高興了，
亂唾噴我一臉，
我也聽得高興，
放着牠們自乾。
我離不了他，
縱然時到天晚，
我跑到他家裏，
再相圍坐在燈前。

三六

他家是一個佃農，
住着兩間破屋。
下雨屋漏時節，
常和他挪移床足。

他躺在中央，
我坐在一旁，
我的一邊，
坐着他的痲子姑娘。

他的痲子姑娘，
和我也不昧生，
她常垂下頭去，
伏在我的胸！

這時他吸着旱煙，
露出了滑稽的面孔，
話剛吐出嘴唇，
煙已罩到屋頂。

窮苦人家，
點着一盞破燈，
半明半暗的，
來襯襯我們這農人的情景！

他說到上天下地，
他說到神怪虎龍，
他說到豌豆，
他說到扁虫，

每一句兒，
都有他的樸實趣味；
每一句兒，
都有他的詼諧談鋒。

現在，
我已外出；
老友啊，
我祝你萬福！

現在，
我已外出；
老友啊，
我常常想起了你的破屋。

新婚

窮人一個，
四十歲尚未結婚；
她因凶歲死了男人，
合他配成了半路的一對，

結婚二日，
他負販出了柴門，
歷了嚴冬，
大雪又早融盡。

二日的期間，
她有了孕身，
笑動了南屋，
豔說四鄰。

忽然，
一天他負米來臨，
她笑迎着他，
三十六歲之新人！

我看見他們那樣的愛着，
我看見她們那樣的天眞，
女的有了白髮，
男的一臉皺皺，
蕭條是蕭條，
可不是他們這時的寸心！
太陽，
快要下山，
明月，
早早窺人，

碎　鞋

飯將蒸好了！
炊烟繚繞如白雲。

五三慘案後於博山

大風呼呼的，
明月五天，
梆聲響着，
是人家不敢安眠。
離城最近的一個小村莊，
安用如此動彈？
是帝國主義者，
發出了殺人的鷹犬！
他們，
將我們的名城侵佔！

碎　鞋

他們，
將我們的地輿推翻！
有生之倫，
殺死了無算：
那裏都能見得到啊，
縱然在我們安寧的家園！

一片，
两片，
鋒煙，
碎磚，
殺人鷹犬的一度焚燒！
殺人鷹犬的一度賜殯！

東鄰，

住着一個老年，
他心中難過，
說出眞言，
拍！
拍！
两槍，
拍！
拍！
倒在一邊，
倒在一邊。

原始上帝創造人類，
終沒想到牠會這樣的凶殘，
終沒想到海東海西，
終沒想到世界上所有的風烟。

綿羊似的人類，
正在酣睡，
大風呼呼的，
激不起的心弦！

在諸初上課

鈴鐺鐺的響了，
心突突的跳了，
易邃，
你誤人子弟誤到鄉土！

走進講堂，
見到了舊日的伴侶
眼都望着在我的身上，
好像是歡迎你老邃。

碎　鞋

老邃，
似瘋的浪人，
被土匪打進故鄉去，
剛被土匪打進故鄉去。
今朝，
我們來此歡聚；
功課本尚未翻開，
說不出我心頭的淒楚！
我舊日的伴侶！
我舊日的伴侶！

放入了我的火爐

燒木炭的人，

碎鞋

都是南山的窮戶；
到冬天送進城裡來，
盛在筐中，
放入我的火爐。

好火！
呼！呼！
好火！
呼！呼！

青鞋

你是何人的青鞋，
丟在這裏？
你是何人穿過的鞋，
丟在這裏？

我己經數次寫過鞋詩，
今次你又遇在了我的眼底！

我不愛女子，
我也不必愛女子，
我却愛她的遺棄！
我却愛她的遺棄！

一個美麗的情使；
伏在土中眠起；
人死了會沒有缺點吧！
我之所愛正是如此！

說到我，
尋美的僻人，

除非見不到，
除非做夢也無從做起！
我悄悄地將你取回來，
藏在靜室。
哦！
我沒有愛人的人。
哦！
一個土中的腐尸。

我想像了你的過去，
我想像了你的未來，
我想像到你的笑靨，
我想像到你身屬何似！

我總覺得和你接近，
我總覺得和你相知，
我再找找你的死期！
我再找找你的死期！

在你死前，
或者你我也曾認識；
但我是四方的浪子，
剛被土匪逐囘城壁！

在你生前，
或者尋情也未曾尋起，
果尋得了不用說，
沒尋得還有我，還有我！

碎鞋

在你生前，
你在屋中作這鞋子，
一針一針的縫好，
想必是一針一針的拆起！

你費了多大的藝巧，
你引針引了多少時日，
不知穿過了沒，
死後又被人丟在了長堤。『註』吾諸，有人死了姑娘，常將其枕鞋，丟在荒郊。

過路無人問，
風吹塵蔽之，
褪了好顏色，
爛去素表裏。

路過長堤，
收在懷裏，
跑！
跑到了靜室。
跑！
跑到了靜室。

親愛的

走了些親愛的路，
呼了些親愛的空氣，
到了一個小村莊，
回來結了些親愛的相思！

家居

圖四

父親要打我，
母親罵我不知禮義，
我的小孩在我身邊蠕動，
我的小孩在我身邊蠕動。

走出門外，
見到了一大羣人；
我覺得異樣了！
我入了陷阱！
我入了陷阱！

人活

人活在世上，
人活在世上，
柳絮離了柳葉，

柳絮離了故鄉。
飄泊，
盡量；
慘酷，
盡量；
孤另另的，
一人一騎一刀槍！
假使你哭，
你的聲音切莫高揚；
假使你有了戀人，
你的痛苦從此滋長！
慌，

盡量的慌。

十八，一，六。

你，窮人

你，
窮人，
担着條炭。

你，
窮人，
担進城裏來。

你，
窮人，
立在我的門外，

你，
窮人，
看不見我的溫暖，

勾惹

我自從勾惹她妹子未遂，
她知道了以後，
見了我儘是笑，
儘是溫和的笑，
她總覺得我啊，
實在是一個好人！

一，八日

都是夢

都是夢，
夢中太朦朧：
哭笑，悲酸，離合，歡樂，得意，忘形！
都是夢。
驅使熟境：
上高山，
登雲峰，
會情人，
赴陷阱！
前來，
前來，
唱唱夢歌，
解解夢境：

碎　蛙

吃飽了忘了飯，
摟着情人忘了情，
半痴半聾，
不分重輕。
見了人儘哭沒有笑，
見了她儘敬沒有恭，
敬是做夢，
恭是做夢。
哄！
哄！

一一，十日，

誓詞

所望於人者，
無有：
所望於我者；
尙在。

回家

（一）

世事的紛擾，
傷痛我心，
尋安慰尋到家，
父親躺在床上，
正噴雲吐霧的，
剝削我們一家人。

（二）

烟靄，
線繞空際，
對面聽到他說話，
對面望不見我的父親。

（三）

母親，
骨瘦如柴，
抱着孫子，
添鍋兩瓢水。

（四）

弟弟担着鬆土，
走進牛棚裏去了，
出來的時候，
我看見弟弟的面目黧黑。

一一，十一。

被殺者

倒在路上的屍骸，
無人過問，
凶犬圍着，
昂首伸眉！

你看！
這糞地會有人作成寶榻，
這破衫會有人看成聖衣，
這血，
這流過的血，
會有人悽泣收起，
放在妥貼的棺內。

倅　鞋

你看！
這一塊小地方，
這一塊汚穢的小地方，
有人年年記在心頭，
有人年年哭在墓首。

你看！
這死過的屍骸，
正和亂泥一般的爛臭，
鮮血活潑的流！
鮮血活潑的流！

城內的一街

這街上，
「熱包才出爐」！

碎鞋

賣饅頭的，
聲音笨重而悠長。

時而過幾個閒人，
都到站着女人的門內去了，
小犬也不常往來，
只是在門口邊悵望。

半天走來了一個她，
約莫有三四十光景，

鞋子很遲重的，
走起路來却是無聲。

小孩常常合羣，
說起話來不顧人：
『小妮！小妮』！
『您瞅含着和尚的嘴』！

午夜中

一石解束腰帶時，
淚涔涔下，
長此作吃飯教員，
何日是歸宿！

尋！
尋！
淡花中間，
古塔的門楣。

進去，
進去，
一臥千秋，
三四十世紀之初。

哭，
歌，
吸着清風，
朗月輪囘！

—一，十五。

平常的女傭

我幾次挑引，
都被你責斥；
原來你是愛着一個農夫，
你是一個平常的女傭！

你抱着小孩走到門外，
我挾着烟袋自東而來，
我微微的看你一眼，
你想着農夫的汗衣已壞！

現在，
我聽說你已死掉，
我天天嘆息着道，
那個平常的女老—
由此我心頭的傷痕，
足成崇拜你的熱潮！

直追

碎鞋

人生既是無趣，
何不即行死去；
作了一首詩，
先住住—

住得久了。
又煩悶了，
拿出詩來，
苦讀苦讀！

讀得久了：
內外俱醉，
某日我還見到了一位美人！
某日我還見到了一位美人！

守着詩篇，
想起她來；
昂着首，
心頭微溫。

昂着首，
心頭微溫。

簫聲

是何人吹的簫，
是何人的簫聲這樣的纏綿！
樹枝微微的動了，
小鳥再也伏不住了。

—一，二十二。

小詩

悲哀啊，
見了她不得絮語啊，
有人啊，
那是她母親啊！

一體

小孩不願意我走，
及至我走了，
他又要送我：
戀戀不捨啊，
不明世事的孩子。

死過了的

翻出我死友的信，

將牠放在火裏，
縷縷的青烟，
熏得我頭痛，
熏得我眼花，
烟中無人影，
煙外無人影。

一瞬

寂寂小院春深，
伊人可是舊人？
幾度相思，幾度溫存，
臉上有了吻痕，
乳房漲起毫寸，
目光烱爍不精神，
青髮縷縷儘似捆！

碎　鞋

朱門，
在昔日的朱門，
是訴苦，
是黏身，
是星沈月忱，
恰是星沉月沉。

昨夜，
小院靜無人，
昨夜，
一見就閉了柴門！

我囘來了，
罵人！
我囘來了，

聲聲罵人。

呈紹芸

（時彼在惡劣環境之下努力爲黨犧牲）

古怪的癖氣，
寂靜的性格，
到了前線了，
死在有時招手！

水竟是水啊，
火許熾盛吧，
冰可葬了，
冰乃霜露之精華！

我想到在北平的晚上，

導領着一個瘋人，
在電燈之下走着，
熱血與死之逃陣。

我想到北平的晚上，
有一次許是大醉（註）『時彼陷於悲觀厭世，
忘其病母』
忘了病勢垂危的母親！
忘了病勢垂危的母親！

經過了好幾個年頭，
經過了許久的潛遁，
我看見又有了！
熱血上湧，
觸怒家人！（註）『紹芸辦黨其家人多不贊成。』

我想到人生，
薄薄的滋味；
我想到人生，
痲醉—痲醉！痲醉。

我看見了一陣迴風，
我沒聽到重雷；
樹是枯死了，
花須有血來噴。
草也沒有了，
昨日買鋤人半路未回！

碎鞋

就臥

躺下吧！
土席一領，
被重五斤。

近

他是一個無聊的人，
我竟懇切的將他留下了；
在這悽慘的秋風裏，
我要將他的項來親着，
我要將他的心來溫！

日暮

日已下山了，

我已頹老了，
世上仍有不耕而食的人！
世上仍有不工而衣的人—

三，三。

在道上

我走路走累了，
坐在道旁喘息；
他正騎驢走來，
背後還跟着人兒。
他家有喂驢草，
我家有喂人粗米！
悽淸的風—
我多時未能起立。

—三，十二。

寄呈劍三

劍三、
將來你死的時候，
我可在你墳頭，
使衆花俯首。

有爲、啟超、
縱政治怎樣紕繆，
然而也都死去了，
可憐古人無有！

劍三，
你是僅僅的一個小說徒囚，
寄居在偏僻一隅，

[illegible] 鞋

有人知否，無人知否！

劍三，
可數數舊日的朋友，
他們已擁得了他的愛人，
不像你這般的窮瘦；

青島，
山東一隅，
海岸上，
我見有人行走。

一二，二十九。

苦喊

偉大的簡單啊，

碎　鞋

偉大以上的簡單啊；
我們看了你的本體！
我踏着了你的本體！

喊

我要喝一杯酒！
我要喝一杯酒！
將我的心來燒，
將我的心來燒透，
我畫在地下一個圈，
我在向我的敵人乞宥；
幾時我瘋狂了，
我的痛苦才永遠俯首。

扯去了青天，
地球遠離了地球。

夜行

春風中，
小孩子的聲，
夜月明，
夜月明。

聽差的

同事們都叫菜了，
我無錢叫菜；
同事都喝酒了，
我無錢喝酒；
同事說的話聽差應之如響，

聽差的目光却勝於我的目光。
朋友！
你也是一個窮人。
朋友！
你也是像我一樣的人—

歸回

好！
差事勾掉了，
我再在詩中逍遙！
我再在詩中逍遙！
我將心血虧盡，
我離詩神遠逃，
那是爲了麪包，
那是爲了麪包。
現在，
無拘無束，
專唱曲子，
專作小調。
清風徐來，
我今朝起床別個早。

這塊地方

我自從生下來，
就在這個地方：
風使我凄凉，
雨使我苦悶，

愛人使我憂愁，
朋友使我担心。
今天累了，
今天睏；
早起的時候，
有太陽來此催我起身。

清明

清明，
緩步行，
足踏着大地，
足遊在太空。

照綠柳中行，
照紅杏花中行，
照紙鳶之下行，
照紙鳶之下之下行。

柳絲，
牽住了遊蹤；
青春的夢；
瀰靄冥濛！

任管是一陣鬆土，
任管是青草半畝，
任管是風日晴和，
任管是痴男怨女。

來了乍鳴的小鳥，
來了初出的文蜂，

來了秋波，
來了婉脛。

風漫漫的吹滲，
雲漠漠的遠騰，
人漸漸的散了，
我漸漸的入夢：

青坡之上，
原有遊人三五。
青坡之上，
原有遊人三五。

轉彎處，
更有甜蜜的笑容。

碎　鞋

轉彎處，
更有甜蜜的笑容。

我珍寶着這種笑容，
消逝了鬱悶的心胸；
大家珍寶着這種笑容，
消逝了鬱悶的心胸。

一四，五。

貧歌

朋友！
我們沒有資本家那樣華屋，
我們從生來就沒有那樣幸運，
我們有赤裸裸的一條身子，
上身不遮下身。

你們再不必想他們的優遇，
你們再不必想他們的憐憫，
歸去吧！
歸去你 poor, Poor 的柴門。—

那邊有土的坑，
牆是灰色，
屋頂倒是殘缺了，
有你的心，來溫你的身。

那邊有無遮的太陽，
黃土紛飛，
死在那裏便埋在那裏，
更沒有人去走近你的墓門！

你們從生下來就命定了，
你們從生下來就定了命運。

—三月二十七日。

自悼

渺小，
渺小，
曾小到老，
曾小到老，
秋葉墜枝後，
嫠婦午夜前，
自憐—
餘音嬝嬝似空烟。

這一回，
百年易滿，
靜靜地，
薄棺一具埋塵寰。

朋友，
將我忘淡；
燈下，
忘記了是那一年！

宇宙，
照常轉輪；
我歸於爛，
我的靈魂歸於那邊！

碎　桂

在生前，
我摯愛的幾本小書，
放在破草堆中，
有一頁塵土佈滿。

生前，
我愛的東西，
我摯愛的東西，
因我脫不了死，
有緣成了無緣。

我的愛人，
青髮披在人的雙肩；
她——
她和人郊遊，也未回還。

碎　鞋

想到這裏，
我便心酸—
想到這裏，
酸也是甜。

無可奈何，
生死輪轉。
無可奈何，
輪轉！輪轉！

——四，二十。

親愛的七哥

親愛的七哥！
你因我作苦力教員，

六四

糴到家中一石高糧，
便起了妬嫉心，
你是我從小的伴侶，
又說是同我服色甚近，
我不曉得會有妬嫉心的人們，
我不曉得又有妬嫉心的你，
我餓了須要飯吃，
一石秫秫運進柴門，
你家是朝朝富有了，
你賭博的父親早已殞身；
你不用工作就能吃飯，
不同我終年歲要依人！

幸運的你，
無憂無慮的你，
為了一石秫秫，
會動了心！
會動了心！

——四，五。

小詩

她，
日暮依枯柏；
黃昏來了，
將她抱回。

——四，九。

笑罵聲中

碎鞋

眾人的罵聲來了，
我是一動不動，
眾人的笑聲來了，
我的態度依然平和，
他攻擊他的敵人，
我尊敬我的一切。

呈眞革命的友人

朋友，
你革命以來，
我看見而黃肌瘦、
你革命以來，
我看見你大了雙眸，
你革命以來，
我看見你的血流，
你革命以來，

我看見你完全無有。
朋友，
日在和煦！
朋友，
我的同胞們得到了報酬！
我的同胞們得到了報酬！

苦寂

悲哀啊！
悲哀啊！
活在此處無朋友啊，
中心有話沒處走啊，
拿起臉盆來，
洗洗手啊，
拿起鏡子來，
照照頭啊。

——四。二十一。

濟案已解決了

濟案已解決了，
日本已開始撤兵了，
政府不要妨害日人的生命財產。
我敬謹的從命，
我敬謹的從命。
我被他們縱匪焚燒的宅園，
現在已修起了；
而且又有政府的命令，
我當然的要服從了。

我被日人擊斃的弟兄，
現在墳頭有了宿草了，
而且政府又有明令，
我報仇也沒法報了。
我呆立兩宿，
我呆立兩宵，

——一四。二十三。

叩門寄芸渠

芸渠！
半夜中我去叩你的門，
半夜中我去叩你的門，
我要求點世外之音，
我要求點世外之音。

芸渠！
我到了你的大門，
我來到你的大門，
哦！
我找到了一種大門，
我找到了一種大門。

北風冽冽的吹着，
看不見天上的星辰，
酣睡者啊，
忘却了世上的酸苦之人！

我痴痴的呆立，
我急急的叩門，
芸渠，芸渠，

碎　鞋

我未語你該知音。

芸渠，芸渠，
來了你的夢中人！
芸渠，芸渠，
來了你的夢中人！

土中吟

好友，
好友，
見面時的好友！
見面時的好友！

家人，
家人，
不相了解的一羣！
不相了解的一羣！

工作，
工作，
奴隸還有話說！
奴隸還有話說！

我聲嘶，
我瘋狂，
我跑，
我尋找。

我聲嘶，

我瘋狂，
我跑，
我尋找。
我聲嘶，
我瘋狂，
我跑，
我尋找。

黑暗中　——五，十四，

你也不禁，
我也不禁，
我們曷不合攏來，
胸並胸，胸並胸。

碎　鞋

你也不必深思，
我也不必深思，
深思是一種病！
從上古野蠻，
到今世文明。
南屋北屋之間，
呻吟床笫之中，
背也無用！
想也無用！
黑暗深夜，
萬籟幽靜，
抱着被，
尋尋情。

碎鞋

這時，
細風，
這時，
不寒的夏景，
水中沒有聲，
雲外空留影。

你像是一個天人，
週身外沒有半點纖塵，
又紅又白的，
你真不中用。

我抱着你，
我看到了你的乳峯，

七〇

你是一塊海綿，
儘着我來親弄！

我加緊的親愛，
我十二分的虔誠，
你的囘禮啊，
是一吻，親兄！親兄！

這一幕過去，
我們到了甜密的睡中，
太陽起來接我們了，
我們笑微微的見到友朋。

Pleasure Pleasure
Everlesting Pleasure

leasure　Pleasure
Everlasting　Pleasure
這就是男女，
這就是文明之上之文明！

親愛的姑娘

親愛的姑娘，
你幼小，
你爛漫，
你天眞，
你和我一樣的天眞，
但是！
我已年長於你

碎　　　鞋

但是，
你只見外表不見了我的內心，
——五，二十四。

我從

我從宏宅的門外經過，
見到了鮮麗的繁花，
我想進去看看，
但是，
有人在罵
渾蛋！
爲甚無所爲而爲？

我從平院的門外經過，
見到了美麗的神婆，

我想進去看看，
但是！
有人在罵；
渾蛋！
你甚無所爲而爲！

哈哈！
我一面走着，
不和諧，
我一面走着。

——六，二十一。

再喊

你們要自已起來啊！
不要希望人啊！
不然，
要睡一千年啊！

我的愛人

我曾經戀過她，
最後她和人結了婚，
於今不見已經六年，
忽然聽到她的死訊，
上帝啊，
還給我的天眞！

那樣多情的人，
那樣坦白的人，
和人結婚並不是撇我，
和人結婚的我的愛人。
至今，

是今，
她的死訊已經證實，
我的熱血，
突如當年一般的關存！

我因爲地位低卑，
有人才騙去了我的天眞，
直到她病重死了，
我才重將她的名字播在人倫。

我因爲地位低卑，
有人才壓住了她的芳信，
不見已經六年，
不見竟成千春。

現在，
我聽到了她的逝音，
現在，
我無淚無言儘打盹！

現在，
我加入了她的葬列。
我跑了多時，
儘是當中立難穩。

一石！
你想想多情之人。
一石！
你敬敬多情之人！

異鄉的婦人

碎鞋

異鄉的婦人，
到此乞食，
哭什麼！
哀哀求乞！

若是找不到樹蔭，
她也未必有心哭泣；
可憐！
宅門仍是關閉。

赤日蒸着，
我看見了另一女子，
坐在車上，
她面上的錦披耀日。

赤日蒸着，
我看見了一大羣人，
坐在樹蔭，
談閒着故事！

饑餓的朋友，
你原早跌在那一隔壁。
我有一個秘訣，
我有一個平常的秘訣。
就是——
「你不愛我，
我不能不愛你！」

七四

人生是由於相愛，
並不是由於相惡；
你忘了，
我尙記得淸淸楚楚：
一
生，
老，
病，
死，
和尙，
道士，
學者，
名妓，
賣花人，
蓋屋的。

襪上有窟窿

襪上有窟窿，
她給我補補，
穿回來；
又穿成窟窿，
她再給我補補，
穿回來；
再穿上窟窿，
再穿着回來！

這樣的小院

這樣的小院，
碧綠的是草，
淡紅的是花，
小立階上，

我要稱稱她的心！

如果當了乞丐

如果當了乞丐，
我也定不自戕！
朋友說是想像，
胡說！想像？

我從此果然窮苦，
乞食未到街上，
沿路乞着，
沿街無回響。
風吹着我的單衣，
凍足半癱！

維時我要平息我的呼吸，
病的呼吸我焉能自主？
我要立定我的心神，
心神早已無所寄養！
這時，
惟有這時，
我否認了我的主張！
我否認了我的主張！

人們

人們知道好友受罪，
不去扶助他，
這是愚蠢不過的事！
我雖然窮苦，
一想到這裏，

便膽氣湧上心頭！

小詩三首

（一）

坐在石上，
大風吹着，
那裏我也不想去了，
太陽啊，
你就燒化了我去！

（二）

走到河邊，
釣魚的高興得了不得，
是魚在釣他啊！
是魚在釣他啊！

碎　鞋

（三）

回到屋裏，
拿起書來，
看了半天，
原來還是白紙！

他是我的父親

明明是隻虎，
父親說是隻狽；
明明我是慈悲，
父親硬說我心硬！
這有什麼法子——
他是我的親！

我將

我將偉大合在手裡，
向前一步一步的走，
我的手永久不開，
我的生路到處都有。

躍

躍入花心，
躍入花內，
粉紅的柔瓣，
我和你綽約在風塵！
——八，三一。

閱某博士『時人不尊敬學者語』

有感

只要是革命成功，
只要是民衆得到飯吃，
不尊敬幾個學者，
大事也是小事！

什麼時代高談學理？
什麼時代專注沈思？
餓者不會思想，
凍者有眼難視！

學者，
我崇拜的學者，
你——
原來是你！

學者，

我崇拜的學者！
你——
原來是你！

來生

來生，
有的麼？
今生蕭瑟了，
明月爲家！

簡單

簡單極了！
秋夜裡，
下課後的情人，
是三首兩首的斷詩。

碎　鞋

——一九，八。

滅沒。

在鄉民貧不聊生的時候，
在赤地千里人吃人的時候，
學校裏有音樂，
研究會依然吃大餐，
小姐們的化裝品依然朗列在案頭！
起勁的風，
將屍臭吹散，
人和人的同情滅沒了，
人和人已一在地之上，一在地之下！
暴急的雨，

漂洗過血痕沒了影踪。

九，十一。

去吃

我是一個人，
我需要飲食，
我買到一隻雞，
我細細地咀嚼，
細細地去吃！

扯去雞皮，
有肉自晰，
大嚼呵！
這樣的美品，
有錢人之美食！

肉的下層，
有幾絲血跡；
這樣的美品，
血足以潤澤豐肌，

沒等我吃完，
白骨如推；
拿去——
我的三個聽差的之一！

從此，
我常常吃雞；
你看！
我的面龐温嫩，

我的筋肉油膩。

有人說，
我的肉是鷄的肉；
胡謅，
鷄肉那能在我的軀殼以裹！

然而，
有人正吃糠；
然而——
我的同類也易子而食！

——九，十六。

夜喊的乞婦

碎 鞋

親愛的乞婦，

我是教書的，
講壇上我用口宣音；
你是乞丐，
哭喊於埃壁！
我喊的時候不飢不寒，
你喊的時候悽切動聞！
有人說啊，
有人說我因講學問！

說到學問，
也是為人；
我的生活很舒適了，
也有喊不到效果的夜來之音！

乞婦，

我的伴侶！
咱較量較量世人，
比比世人！

乞婦，
我的同行，
我有牌子，
你僅赤顆顆地一個女人。

——九，廿三。

耳屋中

我在耳屋裏睡了一覺，
我見到了地主對僱農的詳情：
朋友！
給我耕種。
有腿給我英挺，
有力為我全揮！

幾次我看你，
以上我看你，
比驢好一點——！
比牛仍不行！

工作完了，
例應下去；
走罷，
破褲載嚴風！
這時他的屋內，

往昔幽靜；
僱農早已走了，
壁上列着蝎虫。

我的病體

我，
我只是一個娼妓！
迷惑人的時候有我，
救人仍須我的相思。
一石，
你的能力原來如此！
我也要殺身成仁，
我也要拿起手鎗描對準的，
只是死，
死，
我的能力僅只如是！
是我生前就有衰弱的身體、
說起話來肺管澁嘶；
稍一用力啊，
中心如火反顫悸。
病體，
病體，
我要救世，
我要焚你！
放下燒柴，
圍上油滓；
我要救世，

碎　鞋

我要焚你！

——十，九。

熱念

甘露，
甘露，
委實寂寞極了，
半夜中何處聞鬼哭！

——十，十二。

野外

太陽出來了，
露水活躍了，
鳥叫了，
農夫在田裡彎了腰了。

陶醉

美酒，
是甜的；
婦人，
是温柔的；
救人，
是情急的；
且樂啊，
且樂莫慢延。

春花開了，
豔景鮮妍；
名山在望，
矗立塵寰。

且樂啊，
且樂莫慢延。

有人說，
這是空幻；
有人說，
終成枉然。
我不管——
一石不管！

一石願作一滴春露，
日出再化做柔煙；
一石願爲電光一閃，
散在了雲間！

一石清晨醒來，
他自已搓搓倦眼；
他看見萬物微微地笑了，
他早是宇宙間的一位癡漢！

這樣，
一石度過了塵寰；
直至他死了，
一坏黃土加滿了南阡。

直到最後，
弔唁來了一位慈禪，
口說是可憐，
心裏也說是可憐！

詎知——
一石長眠去了；
詎知——！
一石早已長眠。

粗餅

吃粗餅，
吃粗餅，
病的孩子有了盛饌了，
父親母親都喜得笑眼圓睜。

我赴了一次晏會，
臨末添上了半碟粗餅，
同事的人說吃不的，
這樣是不配衞生！

同時，
迸壞了我的心靈；
同時，
人肉也有重輕！

臨末我想起那病的孩子來，
粗餅之上的天眞笑容。
他寸心的安慰，
不餓便可永生！

我想，
我望望明燈，
滿屋裡通紅——
可不是人肉之影！

正在望明燈，
又有了！
病的孩子的笑容，
父親母親的笑眼圜睜。
我見了她，
我見了她，
我就知道了她的命運。
她和我談着，
我看見她足下的一雙小脚！

年幼的時候，
父母把她嫁給一位粗暴的男人家計極枯窘，
中途他又暴死在叢林。

碎鞋

她的妯娌拿她不是人，
她的財產被人强佔分，
她的神經激變了，
瘋狂囈語成了病根！

我見了她，
我就知道了她的命運。」
我和她談着，
我看見她足下的一雙小脚！

冰窟中

一個狼狽的兵，
和一縫窮的婦人，
在大風中相見，
大風中相憐！

碎鞋

晚上，
他端出一碗白麵；
欠餉是欠餉，
有本地供給的精細白麵。

她雙手接過去，
也沒有什麼話言；
癡癡的一笑，
久餓者的恩點！

忽忽的風，
衣薄的人陣陣向寒；
他將她扶到屋裡，
途中再親也要也，，不完，不完！

遠處，
有破屋一間，
神像早已倒了，
屋中久無人焉！

他鋪下他的外衣，
沒席的她上了寶毯，
樸樸實實的話兒，
熱熱烈烈的情焰。

他們就此睡下，
他們就此度晚，
她的褲子殘破不完，
他當兵說要摟摟家眷！

八八

他們囘到了幼年，
忘記了飢寒與忍殘；
最緘默的是她，
半天吐出了三十三！

不用說，
第二天他就開走；
不用說，
她叔父說早晚要將她變成金錢！

——十一，三，

窮兵

他是一個窮兵，
終身沒有妻子；
有時獨自唱戲，
也唱起他的前妻。

——十一，四。

回家的時節

囘家的時節，
遇着愛人做飯啊。
夜晚的時節，
愛人忙着上褲腰啊。
天明的時節，
孩子又要吃乳啊。
孩子啊！孩子啊！
我親愛的孩子啊！

碎　鞋

——十一，十四。

耍人

耍人變了臉，
再見面時倘可一笑；
變臉時的多少頭顱，
沙土之上生黃草。
突！
突！
沙土之上襯黃草！

——十，十七。

我沒有朋友

我沒有朋友，
我又不肯死。

在寂寞的長途裡，
自已淌下眼淚來自已吃。

——十，十七。

郊遊

極晴的天，
至美的人，
坐在地上掘白薯，
落了一頭土。
風，
呼呼；
夕陽中，
大野裡。

毛衣

我的朋友，
叫他兒化十元買毛衣；
我的鄰兒，
多上十元就不用餓死。
我親身歷了這兩種事，
一睡睡到太陽西！

起來時，
我聽見鄰家的人們哭泣；
他們安葬他親愛的兒子，
我想起那件毛衣！
我想起那件毛衣！

我想起那件柔滑的毛衣，
溫暖的，
精緻得沒了縫際。
那是購由盛大公司，
藏在高樓以上之珍室！

傻子的權利

近來，
我連傻子的權利也沒有了！
在樹下站着，
人疑有什麼圖謀；
坐在大野裡，
又像有什麼目標。
見到警察低着頭！

見到警察低着頭！

其實，
我仍是一個孩子！
與人無爭，
物類更是親愛的同儕！

現在，
有地方不敢去；
現在，
儘在破屋裡挨受。
儘在破屋裡挨受，
光明磊落之難留。

——十一、四。

飯

討厭我，主人才走，
我仍自坐着，
主人的僕役拿出飯來，
說是先生獨自吃罷。

我拿起筷子來，
久餓者拿起筷子來，
僕役很鄙夷的瞟着我，
我又拿起餅來！

我吃，
我猛吃，
飯是我的朋友，

吃下去可以看書，和寫信與朋友！

正吃着飯，
自已淚流；
飯是天下人的朋友，
飯無惡意於人儔！
可是，
歷史早將你歸於私人！

——十一，十五。

一種情景

我路上吃土吃着密司C，
我眞恨她，
我和她兩目對視過，
吃着土對視過，

碎　　鞋

昨晚下了一場大雨，
門外我聽見她的笑聲；
月明漏出一個邊來，
風也一動不動！

今乃星期日，
今天無功課，
我帶着情書跑到河邊，
水中我看見她在想我！

到了一個小溝，
一朶小花立在崖首，
有一個小蜂，
呌起來嚶嚶！

我看見這是一種情景。
我看見這是一種情景。

——十一，十六。

我要殺人了

我要殺人了！
提着一把刀，
找到了敵人；
立將刀丟在門外，
到了他的屋裡站着。
他向我儘量的慢罵，
我臉上現出了得意的光榮。

——十一，二十二。

佃戶

家奴，
家奴，
見了主人不敢稱人，
見了主人不敢稱人！

換了民國，
青白旗又已來臨。
好了！
家奴打破，和未出母胎時一樣名貴。

意外得罪了地主，
來伏在沙下長跪，
『去了家奴皮，

佃戶皮須披在身』！
地主戟手怒罵着，
長跪的人首都靠近了埃塵，
一隻白鷄，
飛騰着躍過重門。

白鷄，
自在的家禽，
你可不是人，
你雖不是人！

——十一，二十六。

茶爐主

碎鞋

一母生五子，
她為國家撫育；
一母生五子，
有錢的人也是辛苦！

在她當年還是處女，
錄楊之下常常遊處，
令節佳日啊，
香粉馥郁。

那時啊，
有她的慈母；
那時，
相親愛相戲謔的人兒難數

碎鞋

在她青春以後；
也曾有男子使她心娛；
那是黃昏時候，
她回家時稍有遲暮！

古屋的燈下，
她曾久久呆坐；
呆坐以後，
她曾不知這爲什麼。

珍貴的時光，
不自覺的草草渡過；
有一天聽母親說，
她已許配給人家。

她聽到以後，
總是覺得害羞！
雖然某男子的目光可愛
可憐啊！
並不知道某男子的目光不留。

驀地風雲，
她被促着到了異鄉；
終於哭了兩塲，
當她是在道上。

婆家，
是一個窮戶，
所有的財產，
是門外的茶爐！

八八

窮戶？
他也是窮戶！
人家說，
有錢的人才能配財主。

從此，
她便到門外拉爐，
不用說，
她是爐婆，他是爐夫，

到了夜晚，
靠近半夜就睡；
丈夫有時摟着她，
他這才將男子知道淸楚。

一天的煤熏，
他也有時咳嗽；
咳嗽倒不在意，
男子的灰臉使她凄楚！

這樣的生存，
大兒子一日降臨；
他們眞覺得希罕啊，
這樣的一個生物。

那時有她的婆母，
和一個十三四歲的小姑！
大兒只與她以幸福，
奶完以後仍到外邊撐持門戶！

他們全家都愛他，
他眞是一個小爐主；
嫩白胖大的，
比他夫婦的眉目清楚！

這年，
地方尙平靖！
兵很少，
土匪未及於市城。」

這年，
五穀算是豐登；
鄉人沒有吃食的，
茶爐格外豐盈。

努力啊，
衣食尙能充足；
小姑買枝花，
用錢也不費躊躇。

到了秋天，
門外還能演戲；
過年的時節，
生意獲過倍蓰的利。」

些微的餘錢，
給小孩作了一件春衣；
行人們都說，
這個茶爐眞是做的。

婆母歡喜，
她也歡喜；
痛心啊！
沒良心的他，
叫她再有一個孕兒！

白天去工作，
晚上奶孩子；
孕兒一天一天的在肚裡，
孕兒一天一天的在肚裡。

好容易挨到年的末尾，
收下了第二個醫兒；
包子沒有衣，
找出自已的舊袴子。

她的小姑已是十七八的女子，
她爲她抱着小的；
她僅两乳被人分佔起，
她的忙碌是開懷閉懷的。

頂大的不幸，
是這年秋天她的婆母病死；
大兒子沒人看管，
跑在火中燒了嫩皮。

這年，
更過過大兵；
有人敲他的窗戶，
硬來找個女人自自！——

碎鞋謠

她的小姑向她驚哭，
她的孩子醒來哭泣！
她有甚麼法子，
她不也是一個女子？

晚上看門，
白天撐持；
是爲一家人的破衣，
是爲一家人的殘食！

她見說有國家，
她不知這是甚麼用意！
她也沒沾過國家恩惠，
只有太陽東出，日夕乳兒！

一〇〇

如此混了兩三個年頭，
夏天的末尾又生了兩個孿生子；
夏天的生活總好，
小姑可覺得格外生氣。

一個茶爐，
七口人兒；
生活不夠，
有飯她也吃，沒飯她也吃。

這時！！！
換了青天白日旗，
這時。
才換了青天白日旗。

來了一些新兵，
比舊兵確是好的；
雖然有一次找她補衣，
還雙手捏過她的鞋底！

她不覺甚麼，
有飯吃也就好了；
說到男女，
對於她早失其意義。

她再沒想到，
又有了戰爭，
餓了兩天，
生意更因此閉市。

忽然來了一個大兵，
說她早是他的想知；
硬抱着親了一嘴，
兩吊錢才糴到半升粗米！

戰爭過去了，
茶爐上有了新意；
破碗破壺，
也沒人肯攜。

掙扎啊，
掙扎；
努力啊，
努力；

憐憫啊，
上帝的仁慈！

碎　鞋

抱着兒子，
領着兒子，
只要他們暫時不哭，
她再慢慢的從容整理。

今天，
我逛到她的茶爐近處；
怎麼我又聽到了，
新生的呱呱聲息？

原來她是又臨盆了！
她的丈夫說命運眞低！

老婆養不夠，
一年一個討氣的孩子！

她這次一病幾死，
半天續不上一口殘氣；
她的小屋已經不能容了，
大的孩子寄居在隔壁。

她的面色已焦枯，
年紀尚未至四十，
自己生來自己撫養，
又窮又孤無衣無食！

國家仍自動兵，

社會對她也沒有絲毫助力；
她眞不幸，
偏生來就是個支那女子！

生來就是個支那女子，
餓着爲國家造育嬰兒；
生來就是個支那女子，
理應爲國家造育嬰兒！

十八，十一，十六寫畢

註（1）自自是一句方言猶言舒服之意

速退詞

碎　藍

請你們作惡，
任你們作惡，
直至你們死去了，
我們要造成樂園。
永遠，
永遠，
消沒了災患，
消沒了災患！

你已土中腐爛，
死後並無同情，
已經壓抑了你的同類。
已經使你們的同類病上加病。

生前的同情！
不過是虛僞的欺哄，
得意者幾時許！
朝露便不久輕蓋！

那時在你墳前，
要築成我們的遊園；
我們歌哭中間，
要將血淚灑在你墳巔。

你墳前的花圈已成碎紙，
風來片片；
人是空虛極了，
你傳在你同類的已不是善緣。

預祭王雲衢

雲衢！
你是一個學生，
胡適王引之何非學生，

再數數到曾鞏與鄭康成。
但是——
你作學生也能苦讀，
你所負的使命，
你能在這種使命拼命用功！

絕早以前，
有一次你中了目病，
你約我做詩祭你，
我說何用！
何用！

不久，
你的病目得了救星，
你的學術啊，

沒有旗子也成了功。

作作大學教授，
你備受青年學生的愛重，
你能以原有無知者，
在同事們的非笑聲中。

雖然社會還不認識你，
像其餘的渺小的生靈；
你貢獻於學術界的，
有了地位何須人捧，

現在，
你早臻於大年；
無病而逝了，

碎　鞋

一個矮小的胖翁！

我們，
呈送上花圈。
我們，
熱淚帶着至誠！

王雲衢分，
永不醒；
三五友朋，
也多半龍鐘。

——十二，四。

贈同事雷雨田

弟弟從軍病死，
土匪亂處已無家，

碎　鞋

多年未接故鄉信，
來寄居在吾邑膠東的半截！

朋友！
我們都是地之子；
那裡住下，
那便爲家！

說到北方，
冬天下幾次大雪，
故鄉的風物堪羨，
故鄉不能存紮！

朋友，
抖起精神！

再爲我們的國，
找找我們的家…………

——十二，四。

罪孽者

我們都是兄弟，
我們都是兄弟，
兄弟們犯了罪戾，
我們也不便推辭！

譬如今天那個匪徒，
按律例是罪應至死，
但他是怎樣匪的——
社會的土匪還是產生在社會以裡！

昨晚，

他還能同我一樣的呼吸；
今天我到了郊外，
他已迫着和人世隔離。

我沒有多少血淚，
當我聽到了不幸的消息；
我的血淚啊，
漸向我的內心相逼。

我的兄弟，
我會為無知覺的人心痛至死！

呈獻

碎　鞋

盛大的印刷公司，
刋出了美麗的書卷，
青年們挾在袋中。
珍寶似的愛憐。

那書卷，
裝訂得十分美滿，
但是，
你只合於有錢的人消閒。

在那裡邊，
有多多的離合悲歡，
有多多的嫩乳青眼，
牠能賞給人萬分之慰安！

但是。
許許多多的青年；
但是，

碎　鞋

另外許許多多的青年！

正在尋衣尋食者啊，
一天養活不了一天；
正在無衣無食者啊，
怎能呈獻在他們的面前！

——十二，十五，

無題

元旦，
十九年的元旦，
我們大家來慶祝，
帶着血和淚來慶祝！

你已經革命成功了，

一〇八

雖然許多人沒有飯吃；
革命可是成功了，
遊藝讚詠與慶祝！
我們前線上拚却了多少頭顱？
烈士倒地後夢中搆起的聖域？
不全無效啊，
標語上列着滿幅的言語！
街上的小姑娘，
正纏着雙足；
纏足倒是小事，
革命沒有成功怎麼來慶祝！
你瞧：

這是什麼事？
不是押迫，
就是誰家人被傳入縣政府！

悲痛中

昨天晚上寂寞極了，
念了一些佛號；
中心陡的痛極，
見佛要劈他一萬刀！

王子約來，
鄭芸渠；
王子約來，
鄭芸渠。
挺着前胸，
背着姓名，

碎鞋

昂然的走着，
禹會於塗山到國近萬餘！

我的朋友，
寂寞之途上的眞侶！
我的淚沒有乾枯，
我的血永遠噴注！

生物，
我的生物。
撈開寂寞之途，
捧出一個赤裸裸的心來跳舞！

喚風，
喚雨，

碎　鞋

有龍蛇，
有叢林中斜睨之暴虎！

這顆心，
將天地放在裡邊、
宇宙永無！
宇宙永無！

哦！
永生無定處。
朋友，
寂寞之途上的忠實眞侶！

網

大自然結起網子來了：
看！

凶很的，
殘忍的，
褊狹自得的，
猙獰向人的，
容貌！
容貌！

看！
大川，
沙壤，
細草，
黃花，
枯槁！
枯槁！

看！

風神，
雲帥，
暴雨，
赤電，
一掃！
一掃！

看！
跛者，
瞎者，
少女，
冬天無衣乞人，
襯滿了南道！
襯滿了南道！

看！
情人挽着手兒，
吃飽人自挺着腰、
斜束武裝帶，
有錢人的氣焰，
悲號，
悲號！

——十九年，一，九。

鋤秫秫歌

鋤啊，
鋤啊，
這裡邊有黃金！
家裡有母親！
家裡有父親！

碎鞋

兩腿，
下蹲。
兩臂，
前伸。
四截一身？
四截一身！

若是吃飽了飯，
縱然累死也不愁人。
恰巧農忙的時候，
上租以後斷了囤！

今天，
我的醜女人，

向東鄰借了一把米，
蒸了飯兩頓。
我要說是不飽，
我將她愁殺也說不到個俊的人！

兩臂啊，
前伸；
兩腿啊，
下蹲。
這時多鋤下一株草，
異時我的惟一兒子少哭幾陣。

努力啊鋤頭，
我的好人！
努力啊鋤頭，

我的惟一好人！
設若終年不是你，
我早就無病無災入埃壃！

赤日，
你快照臨！
望將我的秫秫一墩一墩，
長——長——快長到我的大腿根！

——一，九，

祝木匠的

碎　鞋

祝木匠，
又在磨他的大鋸了；
發出一種均勻的調子，
告訴給村中的兒童。

他將小樹斫了來，
作過一件刻工，
出嫁的人買了去，
盛上衣服，盛上綠紅！

他創過兩吊銅錢，
買了一斤粗餅，
他放在鍋裡蒸，
用鮮豆腐湯碗中盛！

一個小木墩，
作他掙來的餘贏；
盤腿坐在中庭，
祝木匠的夫人愛迎涼風！

這樣，
一個家庭。
這樣，
一個小小的家庭。

一一，十．

白楊讚

白楊，
現在你已枯枝杈枒；
但是，
我能記得你過去的命名。
工作累了的人，
曾到這裡休息；
炎熱中的農夫，
交口讚過窮漢廳！
小鳥叫着安慰窮苦的人，
送饁之婦也曾經注耳傾聽，
有一次詩人躺在這裏，
模糊中到了大天明。
割麥的時候，
你已週身變爲青青；
我們吃過了麥飯，
你也動盪着安慰我們一年的途窮。
白楊！
這是你的命命名。

你雖和我們不同類，
你並不給我們無望與災眚！

一，十一。

新寡

你無情的丈夫死了，
他全家人又待你不好，
像你這樣小小的年紀，
像你這樣小小的年紀！

思家

轟轟的雷鳴，
千萬不要驚嚇那孤獨的人！
因為她無人溫存，
尤其在驚悸之中啊，

碎　[illegible]

無人溫存！
牠像是一道水流

她像是一道水流

不知不覺的，
牠便要流到這裡了。
我一面贊美其自然，
同時我又悔恨其多事；
贊美牠也不管，
悔恨牠並不顧，
不知不覺的，
牠便要流到這裡了。

十四年六，四。

至寶

三年的大祥，

作了長袍。
拙笨的鞋兒，
泥水灌澆。
世人見了他啊，
只是覺得好笑，

不相識者溜過了，
他偏無情的招惱。
不相關的痛癢，
能使他心血淤潮。
世人見了他啊，
只是覺得好笑！

親愛的朋友們啊，
請不要一味的非笑他吧！

要知道這個人啊，
他也有他無上的至寶。

誌憤—紀念五州慘案—

—六，七。—

人類果是有病在生前，
為甚麼令些同樣的人類啊，
神體摧殘！
人類果是生來中了瘋癇？，
為什麼令些白髮的老人啊，
哭死不還！

你們啊，
軀體尚在蠕動，

赤血尚在運轉。
為什麼？
為什麼總是鉄心不轉！

你們啊！
生命也知寶貴，
親人也知愛憐。
為什麼？
為什麼偏于一樣的人類不然！

你們啊，
你們的赤血尚在運轉！

再寄紹芸

碎鞋

我安閒的在床上發言，
你徘徊彳亍於我的床前，
有時我們的手兒握緊，
你我都是不期然而然！
那時啊，
那時是去年六月的時間。

我本渴想着你和我啊，
自由聯結成合歡之伴。
不憂不懼的，
共度過這沙漠似的人間。
誰還想到你的思想轉變！
誰還想到你的熱情中斷！
你早已廢學歸家去了，
空剩我一人深受孤難。

碎鞋

我左走走是冰凉的枯井，
右舉足便是寂寞的沙灘。
親愛的吾友啊，
你竟叫我向何處尋歡！

我安閒的在床上發言，
你徘徊彳亍於我的床前，
有時我們的手兒握緊，
你我都是不期然而然！
那時啊，
那時是去年六月的時間。

「六，十一。」

題子約的照片

你是何人？
來自何處？
你也忘了！
我也忘了！

望月舒懷

既有了這晶亮的天空，
便不應再有個灰色的我！
死去吧？
好完成這晶亮的天空，……

「七，六。」

我最愛

我最愛鮮花：
因爲牠是那等的溫柔嬌艷。
我最愛朝露：

因爲牠是那等的精瑩圓湛。
此外我更愛處女：
因爲我的生命裡邊，
常有她們火焰。

—七，九日。

小河的旁邊

小河的旁邊，
碧綠的地上，
坐着位鄉村女郎，
在那裡漂洗衣裳。
河水的綺浪，
更安閑的來往，
時而盪到她的身邊，

時而盪在碧綠的草上。
這時天上有兩隻小燕！
吱憂憂的掠影！

蛙鳴

幾處的蛙鳴。
可惜牠們不是我的朋友！

—七，二七。

紀夢

（一）

他像在昧生的絕域中，
我冒著狂風大雪去訪他。
見面的時節，

碎　鞋

我眞踴躍起來了！
一瞥—僅是一瞥，
他又不見了！
不見就不見吧，
反轉醒來的時節，
我定能同你唱着歡會之歌。

（二）

夢中畢竟是夢中啊！
希望畢竟是捉不到的啊！
我再回到現實時，
狂風大雪也沒有了，
何况是一個死去的他！

（三）

他已經死去一年了，
我也知道他已經死去一年了！

然而夢中我覺得他沒死啊！
夢中我覺得將來還可以常常的見到他啊！
醒來呢？
醒來才知道他已經死去一年了；

（四）

哭麼？
我沒有哭。
傷心麼？
我不知道什麼是傷心。
只是醒來的時節，
才知道他已經死去一年了！

—八月

寂靜的莊村

寂靜的莊村。

人們都看戲去了。
瞥見綠樹底下，
有靜悄悄的一人！

——十，廿一。

小貓死後

父親可憐似的說：
小貓死了！
母親長嘆着說：
小貓完了！
他們正在嘆着說着：
却不知我小弟弟那裡去了。

——十一，九。

碎　　錘

超脫了的朋友

超脫了的朋友呵！
你們的墳墓，
就在我的心中。
幾時我死了，
我會將你們的墳墓帶去！

——十二，六。

我看見了你

孩子，
我看見了你。
叫我想到了前敵的兵士。
你的母親養你抱你，
原是希望你好好的成人。

碎　鞋

他們的母親養他抱他，
是要叫他前敵上去送死！

平日裏，
你有一次不喫乳，
她便焦急得沒有主意。
她如何知道有前敵！
她如何相信她的兒子會死！

他們——
那些前敵上的兵士，
血路旁的死屍，
他們的兒時，
也同于你們母子的今日！

孩子！
可憐的孩子！
我並不知道我自己，
我又那能知道將來的你。

朋友

朋友！
你頂好是深思。
不然，
你千萬不要生氣！
你要知道：
我並不是那等人兒。
朋友！
你頂好是深思。

不然，
你千萬不要生氣！
你要知道：
夢中我更多怪自已！

朋友！
你不是早已和我說過了麼？
「生生世世我撇不了你！」

無題

碎鞋

我不願意她老，
我願意她常年青！
我要將日輪止住，
我要叫時間立定，
我不願意她老，
我願意她常年青；
時間如流水般的過去，
日輪也再也不停；
我不願意，
我不願意她再來萌生。

十五年，三，廿六。

老頭子的死去

雖然他是八十多歲的老頭子，
合該死去；
但當我看見他的殭屍時。
我又要發生疑問了！

三，廿六。

碎　鞋　　　　一二四

徘徊

桃花，
我疑心你有人在。
你的靈魂，
佔住了我的心懷；
你的顏色，
侵奪了我的眼界。
桃花，
確切你是有人在！
美麗的枝兒，
透過牆來。
柔紅的花瓣，
像是處女的紅腮：
我佇立多時，
我徘徊徘徊！

—四，二日。」

遠遠的

遠遠的，
我看見她舉手，
　　她撫胸，
　　她嘴唇的顫動；
但是——
但是我聽不見她的聲音。」
遠遠的，
我看見她那流淚的眼睛，

時時蹙起的眉尖，
起伏無常的胸乳；
但是——
但是我聽不見她的聲音。
夕陽下山去了——
我看不見她，
我更看不見我自已。

—五，一○—

這樣的

這樣的苦風！
這樣的凄雨！
這樣的黑暗沈沈！
人們這樣的酣睡！

碎　鞋

我這樣的無眠！
我的心這樣的跳動！
我的呼吸這樣的不平均！
我的心這樣的刺痛！
他遮住了我們的眼。
朋友！
不要哭，
快預備好你們的雙拳。
惡鬼。
在前邊！
牠遮住了我們的眼，
遮住了我們的眼！
朋友！

認清楚我們的視線；
漸！
漸！

碎　鞋

姑娘

——五，十五。——

姑娘，
回過頭來吧！
我在這裡等着你，
恭恭敬敬的等着你……
姑娘，
你如果不回過頭來：
我在這裡不動——
我永遠在這裡不動。

一二六

明月下

——五，廿九。——

月亮發着晶瑩的光，
樹影在地下飄蕩着；
鄰院內一位婦女，
在那裡不住的工作。
工作的婦女，
今晚我願來祝你的快活！
有明月在照着，
有樹影在溫存你的心窩。
工作的婦女，
孰知快活早已撇了你了——

他已向你訣絕，
他早已向你訣絕！

記得前一月的晚上，
你同他心情相託；
那是你的心花，
第一次向人噴礴。

誰知道啊——
今晚你又獨對這淒清的月！

出嫁以前

碎　鞋

姑娘！
萬一你出嫁以後，
飄泊到了重洋；
東奔西跑的，
我待怎能知道你流到何方？

姑娘！
趁你這未出嫁以前，
我願意天天看見你，
我願意天天守着你，
就算星星點點的，
你也莫要改了模樣。

——七，十五。

我在家中所談話的

我在家中所談話的，
惟有三五的村婦。
我覺得她們的靈魂，

碎　鞋　　　　　　一二八

都是鮮花的嫩蕊。

—七，十五。

我的心魂

我的心魂，
被清風吹動，
被鮮花擊動，
被我自已的感情驅廹，
兀自向外直衝。

心魂啊！
我更要緊跟着你的踪影。

—七，十七。

本來

本來，
在船面逛來逛去，
不覺得跌下水去，
也就死了！

本來，
晚上想自戕不果，
睡了一夜，
或者清晨也就死了！

本來，
接到情人的手書，
歡喜得前仰後倒！
但一手拿着信，
或者同時也就死了！

—八，廿四。

一朵鮮花

一朵鮮花開了，
世人看着笑了。
這朵鮮花萎了，
世人從此不知道了。

〔一八，二十六〕

病中

母親！
你不要哭吧！
您兒子因病以死，
猶勝于那些摩頂放踵的志士，
身受洋油燒歿！

母親！
你要放情的為兒哭吧！
您兒子不被洋油燒死，
您兒子是抑鬱以死！
母親！
孰知你可憐的兒子，
竟是抑鬱以死！……！

十二，二月

跌倒的小孩

小孩跌倒了，
他伏在地上不動作；
是很能夠起來的啊，
但他只是哭着不動彈！

從他那號泣聲中，
我聽見他說了話了：
我跌倒了！
我跌倒了！

「十二，四。」

小姪女見了我

小姪女見了我，
她措不出辭來了——
臉紅了一陣又一陣，
最後囁嚅囁嚅的說：
四叔啊，四叔！
你——
你到那裡去來？

十六年，一，十六

鮮花

鮮花啊，
你是陽春的使者。」
但你偏生在富貴人家，
處在深巷大院中！

小姐們

小姐們，
小心點兒！
那邊有泥，
墨黑墨黑的爛泥。
小姐們，
仔細點兒！

這城墻極殘缺，
這城墻甚不整齊！
這時她們正從從容容的走着，
面龐兒舉得極低。

觀大殯後誌聞見

有什麼可看？
有什麼好處？
行人互相問語，
行人互相凝注。
有什麼可看？
有什麼好處？
行人照常問語——
行人照常凝注！

信的發出

我的信已經發了，
她未必能回一字。
且不管她回字與否！
總是她定能見到，
而且親手燒了！

有酒

朋友們，
請來一醉！
將來的我們，
勢須同入土邱。

朋友們，
請來一醉！
入土邱倒不怎麼，
只是生時是徒留。

朋友們：
有酒！有酒！

—六，四日

單戀

朋友，
慢點走！
在門內的她，
正在訴說無言的話：

這時四圍的景物，
都進不了她的視覺；
無限的情感，
儘在她的胸中激盪；

她在嫉妬，
憾恨，
她在乞憐，
焦灼，
她的話都是血和淚，
她的目光如待決的死囚！

朋友！
慢一點走！

明月

哦！
明月！
你從我的眼裡，
一直跑進了我的心裡。
再與我的小弟弟

（一）

往日我回家向祖母請安時，
祖母每每的笑向你請說？
老是左右不離的，
果是你的親人已來家了。
現在我久別歸來，
你已漸漸的大了，
我也成了壯年中人。
只是咱的祖母長眠去！

（二）

碎 鞋

你要哭麼？
千萬不可在這裡哭！
因爲咱父母聽見了，
一定更要傷心。
去吧！
我倆一齊去吧！
去到荒草中間，
好直接去哭開咱咱祖母的墓門！

（三）

無奈咱祖母的墓門永永不開！
雖然哭死了我們，
再哭死世上一切的人人，
弟弟啊！
你要切實的記得：
處世不要太傷心！

碎鞋

一個

一個天眞爛熳的小姑娘，
抱着個週歲的小孩子，
誰相信亂離之中，
還有——還有……

——六，廿一。

聽者

我旣不願意仗你威來嚇哄人，
我也不願意你拿來威嚇哄我。
倒了！——！——！——
酣！

——六，十九。

——六，廿三。

釋迦牟尼的座下

釋迦牟尼的座下，
拴着五個死囚；
他再想不到死後的他，
會還見到五個死囚；

——七，二。

小朋友

小朋友！
我聽見你嬸嬸說，
你被你母親纏足纏死了，
纏死多日了。
現在我不期然的遇着你，
你嬸嬸以前的話是錯了。

我 這次才有止不住的淚，

我這次才有止不住的淚。

—七，二〇

酸甜

酸，甜，苦，辣，鹹，

今年！

酸，甜，苦，辣，鹹，

明年！

酸甜苦鹹**永遠？**

不！

酸甜苦辣鹹**土裡。**

——七，五

破蒲扇

倅 鞋

破蒲扇，

我願意我就是個你！

將人間的煩囂與不平，

一切來掃盪。

破蒲扇，

我願意我就是個你！

唯其你是破的，

所以你是全的。

破蒲扇，

粗醜的破蒲扇

—七，六。

他不認識

碎　　鞋

小鳥跑走了

他還在那裡殷勤的叫喚。」

他愛他的朋友，

他不認識他的朋友！

—七，十二。」

表妹

表妹！

你的盛情我謹領了，

這樣的雨我們是不能走的。

是的！

這樣的雨我們決不能走。

—七，十二。

顫動的嘴唇

一三六

我的一切都浸在她的目光裡，

尤其是我那顫動的嘴唇！

睡

睡吧！

痛痛快快的睡吧！

除了睡，

沒有安慰！

睡吧！

痛痛快快的睡吧！

沙漠上的人，

沙漠上的睡。

—七，二一。

青春的過去

我已快過青春了，
沒有一女子肯愛我，
沒有一女子瞧得起我。
名義上的她，
也是用轎搬來的。

—七，二六。

對談的女乞丐

碎 鞋

我問起她這個小孩，
她才說到她那個小孩。
我說你這小孩幾歲了？
她說我那小孩六歲，

現已賣給別人了！
正匆匆的走着，
她幷沒有注意到我是男是女。

—七，三十。

大海

嗚呼！
大海！
嗚呼！
光明的大海；
燦爛的大海；
浩博無涯的大海！
我的大海！
小鳥兒的大海！

濤！濤！
小鳥兒！！
快來：快來；

—八，一。

茫茫的宇宙

茫茫的宇宙，
沒有一絲兒活氣。
拿大炮，
快拿大炮！

—八，四。

血跡

人家願到開化的地方去，
我願到不開化的地方去。

惟有不開化的地方，
才能見到人們的血跡！
朋友們，
才能見到人們的血跡。

—八，十二。

我要放下筆吧

我要放下筆吧，
又捨不得要寫這篇詩。
我要提起筆來吧，
許多許多的同胞們正在流血！
許多許多的同胞們正在流血！

姑娘

姑娘！

鬱悶的我，
見到了可愛的你。
你是叫我笑，
你是叫我哭泣！

姑娘！
你看這天晴雨霽，
有你的笑顏，
活現在天涯。

姑娘！
這宇宙沒有終極，
你就沒有終極！

姑娘，

我見說天庭有天女，
你是何處的人斯，

姑娘！
你是來自那裏？
天上太空虛了，
地下是惡濁的。

姑娘！
你要駐足那裡？
塵世太小，
塵世有渣滓。

姑娘！
飛雲將你捲去吧，

碎　鞋

飛雲將你捲起…………

—八，二五。

日已沒了

日已沒了，
傭租的也不能來了。
我和我的父親，
今夕又得團聚了！

—九，七日

小詩

小姐們，
請不要以外貌相我吧！
我有甜的心——
我有很甜很甜的心。

一四〇

—九，十二。

我僅有

朋友！
我有那一種道德：
人家反對我，
我不能反對人家。
朋友——
我僅有那一種道德！

—，九，十四。

我的病

我的病剛好一點，
來了不痛快的事，又犯了！

又犯了！
我的病再好一點，
又來了不痛快的事，
再犯了！

我的病終于不能好了吧？
我的病終于如此了吧？
上蒼——
上蒼該知道吧！

—十，二．

沒有襪子穿

碎鞋

沒有襪子穿，
赤着脚；
沒有褲子穿；
沒有褲子穿；
　溫和的太陽
夜神尙在森林，
狂風正吼；
溫和的太陽啊——
請候我同走！

—十，十六．

子約

子約！
我抱抱你有多高；
我背着你，
我握着你的手；
我緊緊的握着你的手

碎　鞋

——十，十六。

身

身無完衣，
困無餘糧，
空忙了一年——
空忙了三百六十日整。

——十，二十五。

紀念路友于君

去年我在床上呻吟時，
你正在社會上努力；
我的病沒死呀——
現在來追悼你！

去年我病危的時節，
你是在社會上衝擊！
現在我十分健康了！
現在我十分健康了；

笑聲

小姐們！
你們的笑聲。
明月之下，
你們的笑聲，
我快變啊——
我快快的變啊！

——十一，一。

正在

正在她們嬉笑之際，
正在她們你一言我一句擠眉弄眼之時，
正在她們說起兩性的——兩性的秘密？
正在——
正在那個當兒！

話。

——十二，三。——

上帝！
我還有滿腹話沒說完，
你就叫我死麼？
死是可以的——
可是我還有！

拉洋車

碎　鞋

洋車夫，
拉洋車，
轉灣，
過角，
跑著，跑著，

又遇見汽車，
坐車的人說，快點走，
先生，筋力竭，
筋力竭？
你還拉洋車，
筋力竭，
你還拉洋車，
是的，
筋力竭不可拉洋車，

死。

我所求的東西，
世上沒有，
我這才毫無恐懼的，
來到死裡去求，

說是樂生？
我生已廿三載，
說是惡死？
可是世上找不到我求的東西，

捨去了家人，
遠離了朋友，
　出場。
家人父子都沒有眞的，
出場，出場，
朋友更有沒眞的，
出場，出場，
，錢要緊；
棉鞋破了，
出場、出場，
錢最要緊：
昨那人罵我，
　就是因我沒有錢，
出場，出場，
朋友不來信，

是我沒外出，
因爲沒有川費：
出場：出場：
昨和老妻同衾，
老妻也不快活；
因爲她的被也破了。
出場：出場：
院子裏養的小狗，
啃我的破鞋；
出場：出場：
走起路來，
出場：出場：
坐下，

脚在鞋上頭。

—十二，二廿日。

不知道

不知道，
倒更好了。
不出門，
比出門——
不出門，
更妙：
現在我們眼前的！
現在我們心田的！

十七年一月三〇

百無聊賴之中

睟　鞋

老婆和我賭氣，
父親說我乾吃飯，
孩子說你快走！
百無聊賴之中，
我默默地稱我自己道：
你是詩人！

—一，九，

家人

家人對我的情是很隆重的，
只是不相知！
不相知的情我還待牠要做什麼！
不相知的情我還待要牠做什麼！

一四六

家人對我的愛是很深刻的，
只是不相知；
不相知的愛我還待要牠做什麼！
不相知的愛我還待要牠做什麼！

—一，十。

在家鄉別隋寶甫

久不相逢，
相逢又湏別去；
往日盼着見面，
見面時又湏別去！
今宵，
我願前去伴眠！

只是有大門隔着你和我，
有黑暗的道路崎嶇。
今霄，
你要安適的睡去！
我們的故鄉，
說是我們的故鄉！

一一，十二。

當着煩惱來時

當着煩惱來時，
我覺得雅片是清茶，
刀子是擦布，
深井如平地！
突！突！
偉大的生死一爐。

碎　鞋

我本來

我本來和他是無牽掣的；
但因宗法的關係，
所以不願見也得見，
不願同居也要同居！
我的精神遂日日枯萎，
一病臨牀三月餘。
朋友隔着遼遠，
嬌妻是過于木！
我讀了半生的書
孩子！
不料我讀了半生的書，
餓死了我自己，
將再數到幼小的你。

碎　鞋

若我不一志讀書，
我還可給你剩下幾畝薄地；
你還可以耕種，
你還可以有點筋力
孩子！
窮人怎樣生活，
窮人怎樣尋死！

社會上

當我精神刺激過度，
實行瘋狂以後；
在社會一點囘響都沒有！

在社會一點囘響都沒有！

—一，廿三。

自擾

我的癖性，
是拿人家不值錢的事，
無端的起了歡欣與悲悼！
小孩一句隨便的話，
可以使我終夜不眠。
乞丐求得了滿筐的食品
我偏又滴上滿筐的熱淚

—一，廿五。

就算

就算高山上的偶像，
也不能比我更孤獨些。
就算那瀕死人的心田，
希望之火仍熾！
我——
一半在另一世界，
僅露了兩隻瘦脚。

—一，廿七。

廹

一夜我在屋裡臥着，
見到了秘密之神：

碎　　鞋

他叫我站起，
叫我說話，
叫我嘔出血來
叫我不死不休！

一切的神

困窮的神，
悲哀的神，
苦惱的神，
豔麗的神，
廁所裡邊的神，
女子齒間的神，
一切的神：
湊成了一座詩塔：

—一廿七。

親愛的霜

碎　鞋

親愛的霜！
是將你供獻出來
是將你藏在我的心底？

將你供獻出來，
我沒有那麼大的氣力！
藏在我的心底，
你怎甘心藏在我的心底？

躊躇了又躊躇，
垂睡涕了還垂涕，
剝開衣服，
我再來產出難生的你！

一五〇

一一，廿八。

自殘記

不要殺，
不要殺，
但是——！
我可坐在你的頭上

不要殺，
不要殺，
你應該養我；
我應該坐在你的頭上！

一二，三日

詩

詩！
不是你，
我是快活的世界。
爲了你，
病了我的心，
病了我的軀體，
並且！——
並且要剝及我的衣食。

說你是我身間的累，
但我的生存全仗着你；
說你是壞的，
而我的精神要幾時才得超度。

偉大的病。

碎　鞋

找不出偉大的醫；
賭盡中，後

——九，十二。

（一）

轟；
塗！！
煙！
灰牆！
人來吧！
人來！

（二）

至友？
至親？
妹子？

碎　　鞋

姊姊？

我舊日的讀書處？

我舊日的讀書處？

（三）

一切——

一切——

人生！

人性！

（四）

找！

找！

一五二

—二，七。

殺人

我們也知道人是應該殺的，

我們也願意殺人；

但是—

殺人須有殺人的心。

小姑娘

小姑娘坐在牀上理玩具，

小貓蹲在一邊；

外屋進來了一些烟，

我眼裡淌了一些淚。

二，七。

缺點

我有不少的缺點，
我有不少的缺點，
朋友；
請不要笑我；
朋友！
縱然你笑我。

老杜入土的一日

我們同聲一哭老杜！
我們同聲一哭老杜！
他是一個老頭子，
無病而死的；
紙錢灰落在棺上，
紙錢灰飛滿了全屋。
兩根棒子，
碎　　鞋
四個人扛着，
到了他的墳墓：
即時到了他的墳墓；
他的鄰嫗抱着孩子，
走上了三步兩步！
說是老杜今天入土，
說是老杜今天入土

。二，十二。

失敗了的

我是失敗了，
我已經是失敗了，
或者我是沒失敗？
或者我是在失敗中？
攜着手兒走吧！

一五三

失敗了的。

二？十三，

知己

因爲有知己，
我才有淚！
知己是淚的泉源，
知己是淚的家鄉。

姑家

我到姑家玩了玩。
像是在沙漠上旅行；
沙漠上倘有綠洲：
沙漠上倘有綠洲！

二，十四。

我眞想她

我眞想她，
我眞想一個了解的她；
在這樣的夜裡，
在這樣恐怖的夜中！

衾：
枕！
燈——
那正是一盞孤燈！
四壁，
現了一影！
是她來了吧？
我快穿起衣服，
你別嫌我不早相迎！

我快穿起衣服，
我快看清你來的方向！

一二，十四

我同他說話

我同她說話，
她不肯同我說話；
我不惱她，
我也有點惱她。

那時：
我五天沒洗臉，
又穿上灰大褂，
我自己是髒極了，
我自己也倒退了些須！

鞋

人兒，
我的心，
姐姐！
久久夢想的姐姐！

一二，十五〇

我是大盜

我是大盜，
我是宇宙的大盜；
我將人家的東西掠了來，
製造成了我的；
再現在人家的面前時！
人家以為真是我的了。

我掠標了過去，
標掠了現在，
將來
飛迅的將來。

宇宙永無止息
標掠永無止息

陳迹的悵惘

破敗的綉枕，
綠鞋一雙，
丟在溝底；
我曉得是人家死了姑娘，
要泯去她的踪影。
人家看到傷心，
所以捨命抛去；
我爲看着淒豔，
所以又摟在懷中！

淚！
笑！
失了全形。

黑暗

黑暗！
徹天澈地的黑暗！
人類都死在地上，
人類都在摸索着蠕動：

也沒有風，
只是黑暗；
也沒有雲，
恐怖的雲。

靜！地，
一點聲息都沒有！
仄耳等候等候—
什麼是一聲嘆息：
是末日來到，
是太陽已倒頭？

—二十七〇

變

碎　桂

我的心本來是快樂的；
忽然來了一種譏笑聲，
我的情感遂不得不變！
我的心本來是平靜的；
忽然來了一個賢人，
我的情感遂不得不變！
我本來是快樂而且平靜的！
忽然來了大兵！
我的情感遂不得不變！

顛漢

傻子！
傻子！

顛漢！
顛漢！

乞食的少婦到了門內，
襤褸污穢立在當前；
他關上二門，
又關上大門。

他說：
神仙！
你坐坐吧。
他說：
親愛的，
我不喫你嗹！

他說神仙——
他說是神仙

無用的詩人！

詩人！
無用的詩人！
李，杜，
從唐朝直到于今，
伏在歷代人的心田裡，
激動過歷代人的心田。

爐火

爐火，
鐵匠的爐火，
燒！燒！

高！高！
熟了！
紅了！
溶了！
沒有了！

管子

我是一枝管子，
破敗的管子；
吹！
吹！
幾時碎了，
幾時也就這才完畢。
我沒有花，

碎　鞋

我沒有愛，
只是吹，
吹！
在管子未破的時節，
在生命之焰未傾的時候，
我掙扎！
我舞蹈！

—一二卅•

社戲開幕的時節

聽戲的婦女都走過去了，
從松林中走過去。
松林的盡頭，
有一人在坐着，

想是走累了，
還有小孩子。
我遠遠地望着，
我是立在糞籃中間。

爲善的

爲善的，
多半是死了。
爲惡的，
在大道上激鳴！
不善不惡的我，
又要玩好把戲了。

木匠

木匠！
木匠！
做完了工，
跑到了內廊，
唱！
唱！
圍着一羣小孩了；
疲倦的木匠立在中央！

得了薄薄的財產

得了薄薄的財產，
高興起來了！
不工作也能吃飯
工作不用說。
我把他的名字寫出來，
我把他的舊書擺出來，

月

月，
美的月，
明的月，
無良心的月，
殺人的月，
女性的月，
秋虫的月，
笙管橫笛的月。

—四，五。

司馬遷

司馬遷是最不幸的，
我要爲他雪恨

碎鞋

但——
過去痕跡已找不出了。
我把他的名字寫出來
我把他的舊書擺出來
我恭敬他—
我爲他刺心！

小詩

是有意？
是無意？
一溜烟——
遲速——

遠遠的

遠遠的，

一廛小屋。
其中啊，
伊人如玉！

近近？
只覺忘心！
遠遠？
又心懷滯滯！

是雲？
是烟？

——一四，八。

含　糊

我包着很多的落花，

見到了我的情人，
她問我一句，
我答她半句。

追悼臧功郊

功郊，
家裡哭死了你的母親。
功郊！
你的小孩子又自在街上爬了！

因為革命，
你甘心迎來了死！
因為革命，
你和你頂有情的人變成無情！

功郊！
你幾時死的？
你死後怎樣？
你知道她已瘋狂了？
你知道她已瘋狂！

往日你端端正正的寫在筆記，
說我是你平生的知己；
現在你已死了——
我正坐在燈下，
寫我的新詩：
功郊：
你的好友不過如此。
功郊：
陝　鞋
你的小孩子又來在街上爬了；

——四，十一。

她

她的情人在前敵死了，
她今年才廿一歲，
抱着女孩子，
走到田園望士嶺。

——四，十三。

麥田中

日影，
傾仄，
綠麥葉，
傾仄，

人不傾仄，
人不傾仄，

惡風，
料吹，
吹起人的髮，
吹不起人的心，

——四，十四。

靈魂

我崇拜靈魂，
我泣拜靈魂，
牠是美的，
又是至眞；
廣闊的宇宙，
牠是無所不在的——
白雲，
花心。

自我們有生以來，
牠就翩翩跳舞；
在母親的膝上，
在明月的銀尾！

遊着跳着，
萬一牠碰到了伊，
牠要躍入她的內心！
牠要躍入她的內心！

再呈武平

在故鄉中，
你是我終身的伴侶！
一我祝你長命百歲！
二我祝你長命百歲，
三，
四，
五，
我祝你！
我不厭煩！

—四，廿九。

贈花記

碎　鞋

他不管我是怎樣得的，
他不管我是怎樣的愛牠，
他說我要那枝花啊！
我要那枝花啊！
他一切都不管：
但他是個小孩，，
我便直接地送與他吧○

（二）

花插在瓶裡，
花香充溢全室了。
我望着牠垂淚：
我望着牠垂淚：
哦，
我也是小孩子啊！

笑

笑，
笑，
笑的我
笑的詩人！。
笑我的髯鬚，
笑我的灰袍，
笑我的容顏，
笑我的像貌：
但是——
你也穿着紅襖。

月中

五，一。

吹，

吹，
熄了燈；
有，
有，
有月朧。
來，
來，
月下的昧生！
歡會，
神遊太古；
有西施，
有王嫱，
端端莊莊，

攜手同行，
勞久久夢想。
早勞久久夢想
遊，
遊，
盪——
五嶽，
無底的大海之中央？！

一夥兒

我們一夥兒走吧！
不然，
我們就一夥兒死吧。
反轉。

碎鞋

心肝是離不了心肝，

詠洋槐

詠洋槐，
詠洋槐，
你是很粗的樹，
開出了美麗的花！
詠洋槐，
詠洋槐，
你開到窮人的屋頂，
你開到大道的两堦，
詠洋槐，
詠洋槐，

你遮住了日光，
你遮住了塵埃。

詠洋槐，
詠洋槐，
五六月的天氣，
你引逗蜜蜂們，
到全村來採——採……
詠洋槐，
快詠洋槐！

自從

自從我和好友離別，
體會了別離滋味以後，
我纔覺到人生之偉大，
人生之難得。

——五，七。

小詩

別吧！
別吧！
有半天燦爛的雲霞，
爲我們唱着葬曲。

歡迎南軍

歡迎南軍！
歡迎南軍！
奔。
奔。

歡迎南軍！
歡迎南軍！
縣黨部。
區黨部。

張着口，
流着汗，
嘔着血，
振顫着聲音。

標語貼錯了，
三民主義商工民？
問問！
問問！

歡迎南軍：
歡迎南軍：

——五，十。

無

無善，
無惡，
無高，
無低，
無妍，
無媸，
無君子，
無囚徒，
無我，

碎　鞋

無你，

慘死的他

碎　鞋

早晨我看見他，
晌午我看見他，
下午我還看見他：
過兵的時節，
不知是些什麼兵，
竟能叫他忘了什麼！
竟能叫他忘了什麼！

今天我找不到他，
四處找不到他，
找到他的家，
我不見了他！

一七〇

他是一個窮孩子，
那裡有錢呀…………
沒有錢給他，
有命給他！

我不必找他：
他化了煙灰。
他已不認識我，
他已化了白水！

一五，十四。

癡　祝

此時，
總理倘健在：

此時，
總理目未瞑！
此時，
總理看見軍事的成功。
此時，
總理望着成千成萬歡呼的民衆。
此時，
總理的白髮毿毿——
此時，
總理的老形！

小

朋友，
先止住；
你願意說話，

碎　鞋

你是不能說！

六，二。

和他一路走

不歡，
不歡，
走了友伴。
走了友伴。
佇立，
佇立，
望望天涯，
望望天際。

來！

來！
翱翔，
遊歷。

去！
去！
去了人，
去了天門。

無奈，
動不的手；
要動手、
和他一路走，

動手，
和他一路死；
不動手，
空活我自己，

佇立！
佇立！

世變

某人不省世變，
可以！
他有百萬錢財，
他的地能有人爲他耕起。

某人不省世變，
可以！

他有幾百畝地，
他的地能有人爲他耕起。

我——
家中沒有寸土，
一手扶着犁，
看看兵可拉夫到此？

我——
家中沒有寸土；
穀葉上多生幾個蟲子，
我的筋肉便受了腐蝕。

好像年頭不好遇了瘟疫挨
身體素壯的便挨過去了，

碎鞋

弱小的種子，
只有百千年後再來生息？

——六，十九。

自葬之歌

錢也沒有了，
我友也都疑惑我了，
沒有別的法子，
朋孤另另地一個人跑出來，
在澎湃的大海之岸上哀泣！

一石，
你活了一世，
你辛辛苦苦地活了一世，
你怎樣的掙扎，

但是，
但是你的命薄如紙！

你的想像，
在你的心中永死；
你的平庸而安穩的生活，
你個人物質無求的宣誓，
都臨到最後一層了。
一石！
歸根到底，
不料你竟是還樣呢。

你對同胞也沒有災害，
你對于人類當不是盡情無用的，
但是………

但是來看看你！

你不相信你的家人，
你不相信你的妻子，
你相信你的朋友，
你的朋友可不信了你！

你的歡欣，
平日你的歡欣，
熱烈的回憶，
只成了些無味的熱烈。

聽了自己的責詞，
一石向着大海不能成聲！
我的大海啊，

我臨終的大海！
汪洋，
汪洋，
深碧，
深碧，
沈！
沈！
捲去，
捲到那裏？

—七，三。

狂笑與高嘯

我最好狂笑，
是得意，
還是自嘲？
我啊，
我實在不知道！
我最好高嘯；
是不平，
還是孤傲？
我阿，
我實在不知道！
不知道我便做了！
且樂一樂，
自在，
逍遙！

碎　鞋

我看見我小姪女

我看見我小姪女春風滿面，
我看見我小姪女一步一步的春風滿面，
大約她需要花了吧？
她需要愛了吧？

七，十一

思索了半天

思索了半天，
我怎樣的建樹，
我怎樣的自豪；
但是………
他不允許我的乞求，
我的午飯又無着落了！

七，十二。

千千萬萬的同胞們

水在湖中沸燒，
雲在天上怒號，
血輪的紅日，
已將半天染得赤紅了，
人們啊，
人們跪在地下祈禱！
我們的頭上，
盡盤據着些狠虫虎豹；
我們的生命，
早已卑賤得不值一毛
混濁的水啊，

我們知道你爲什麽沸燒！
血紅的日啊，
我們實深深感謝着你的照耀！

同胞的血，
正在地上直流；
我們朋友的屍，
又在路旁斜倒。
往來成群的虎啊豹啊，
說是要……要……

星兒顫動着牠的弱光，
月已變成灰色的了，
光明的太空，
光明太空沒了！

碎　桂

水的沸燒，
已鼓起我們的熱潮：
日對照耀，
更鮮明了我們的目標。
千千萬萬的同胞們啊，
我們快快的來作獅子吼！

無題

太陽落下去，
雲陽再上來，
太彩遮了星了，
青蟬又躁鳴了。

碎鞋勘誤表

頁	行	誤	正
一四	上八行	呱呱呱呱	多呱呱二字
一四	下六行	解決不了	『了』下應再加一『了』字
一五	上七行	小貓兒	小蟲兒
一五	下六行	我的思想	我的想思
一七	上三行		多一『，』點
一九	上十一行	天國地王	天國的王
一九	下九行	我尋了到了	我尋到了
二一	上五	自頻	目頻
同上	上十二	泯沒泯沒泯沒了性命	應在該詩第四行
二二	上八	生前沒有豐隆	應在該節第三行
同上	下十一	贊延	贊廷
二三	下十一	撼斷	[illegible]斷
同上	下十三	怎麼	是怎麼
二四	上四三行	呼呼	已刪去
二八	下十一	名字忘	名字已忘
二九	上十	冷的	冷酷的
同上	下十二三		『的』字都刪
三十	下十九	衣裙	衣裾
同上	下十二	他	她
三十一	上七	望了幾望	望了望
同上	上十	失了東西	失了什麼東西
同上	下六	你真	你是
三七	上十二	我的胸	我的前胸
三九	上六	她們	他們
同上	上十一二		中間應空一行
同上	下五	互	亙
四一	上八	易	亦
同上	上十二	望着在	望在
同上	下五四		中間應空一行
四二	上四	入我	入了我
四四	上七	沒	沒有
四七	上三	歡樂得意忘形	應在第四行
四八	下一	線繞	繚繞
五四	上五	月忱	月沈
五五	下五	[illegible]風	洄風
五六	下十二	起立	立起
五八	上二	我們看了	我看見了
同上	上七	燒	澆
同上	上十	在向	不向
同上	上十二		我的痛苦才……
六十	上十三	紅杏花中	紅杏中
六三	上四		薄棺一具
同上	上十	轉輪	輪轉
同上	上十一		我歸於爛
六四	下十二	終年歲	終年終歲
六五	下九	見面	見你面
七二	上五	你甚無	你是有
七四	下七八行間	漏詩題	我有一個秘訣
七五	上五	漏詩題	一總

頁	行	誤	正
七五	下十十一行間	漏了一句	這樣的小院
七六	上八	未到	來到
七七	下十一	我的親	我的父親
七八	上三	永久不開	永久展開
八二	下九	下去	下工
八三	下六七		中間應空一行
八七	上五	我見了她	我見了她
同上	上十一	家計極苦窘	應排在該節第三行
八一	上四	三十三	二十三
八三	上三	兒化	兒子化
八五	上七	私人	私人所有
同上	上九	吃着	爲着
八七	上六，七，八，九。		此四行應屬上一首
八八	上十二	給人	給了人
九七	上二	他也	她也
同上	下二	他也	她也
一〇二	上九	怎麼我又	怎麼又
一〇四	下五	使命拚	使命上拚
一〇五	上二	作作	你作
同上	下六	分	兮
一一二	下四	也說	也要
一一四	下十二	令命名	令名
一一五	下三	她像	牠像
一一九	上四	牠們火焰	牠們的火焰
同上	下六	牠們不	牠們都不
一二五	下五		他遮住了我們的眼
一二八	下七	清晨	清晨
一三三	上五		再與我的小弟弟
同上	上七	向你請說	向你說
同上	下八	咱咱祖母	咱祖母
一三四	上八	拿來威	拿威來
一三五	下八	你是全的	你是幹的
一三六	上一	跑走	飛走
一三七	上四	沒有一女子瞧得起我	此句應刪
一四一	下三		溫和的太陽
一四三	下四五		中間不隔開
一四四	下三四		中間應空一行
一四五	上三四		中間應空一行
一四七	上二三		中間應空一行
同上	下十		我讀了半生的書
一五〇	上下	垂睡涕	垂涕
一五一	下二		睡夢中，後
一五三	下五	走上了	蹤上了
一五四	下八九		中間應空一行
一五七	上五	靜！地、	靜靜地
同上	上九	未日	末日
同上	下三四		中間應空一行
一五九	上十二三		中間應空一行
一六〇	下十二三		錯排全刪
一六三	上五	瘋狂	瘋狂了
一六四	上四	料吹	斜吹
一六五	下十二	我也是小孩	我也是個小孩
一六八	上九十		中間應空一行
一七三	上十一	瘟疫挨	刪去『挨』字
同上	下五	我友	朋友
同上	下七	朋孤	我孤
一七四	下九	無味的熱烈	無味的心期
一七七	下九	雲陽	太陽

一九三二年十二月初版

實價五角

著者　臧亦蘧

印刷者　北平市社會局第一習藝工廠

代售者　各省大書店